D0901564

EL JUEGO DE LA CIENCIA

EXPERIMENTOS SENCILLOS DE FÍSICA Y QUÍMICA

Escrito e ilustrado por
Hans Jürgen Press

Colección dirigida por Carlo Frabetti

Título original: *Spiel das Wissen schafft*
Publicado en alemán por Ravensburger Buchverlag
(Selección páginas de la traducción al inglés, *Giant Book of Science Experiments*, de Sterling Publishing Co.: 1-86)

Traducido del inglés por Joan Carles Guix

Diseño de cubierta: Valerio Viano

Ilustración de cubierta e interiores: Hans Jürgen Press

Distribución exclusiva:
Ediciones Paidós Ibérica, S.A.
Mariano Cubí 92 - 08021 Barcelona - España
Editorial Paidós, S.A.I.C.F.
Defensa 599 - 1065 Buenos Aires - Argentina
Editorial Paidós Mexicana, S.A.
Rubén Darío 118, col. Moderna - 03510 México D.F. - México

ISBN: 84-9754-181-2
Depósito legal: B-27.533-2005

Impreso en Hurope, S.L.
Lima, 3 bis - 08030 Barcelona

Impreso en España - *Printed in Spain*

Índice

Introducción

Este libro, que contiene 75 experimentos amenos y educativos al mismo tiempo, es ideal para el niño que quiera descubrir cómo funcionan las cosas y por qué son como son. El experimentador aprende a observar el sol de manera segura, a hacer palidecer una rosa, a utilizar un reloj de pulsera o una brújula, a fabricar un barómetro de agua, y también aprende los principios científicos subyacentes. Cada proyecto introduce paulatinamente al lector en algún aspecto fascinante de las siguientes materias: la astronomía, la química, la electricidad, el magnetismo y el aire. Está profusamente ilustrado e incluye instrucciones y explicaciones claras y sencillas sobre la causa y el efecto.

Con la apropiada supervisión de un adulto, los proyectos son seguros y fáciles de hacer. Los únicos materiales necesarios son simples herramientas y objetos cotidianos presentes en cualquier hogar. Este libro estimulará la capacidad de raciocinio de los niños de todas las edades, y también de sus padres, al tiempo que satisface su curiosidad.

ASTRONOMÍA

1. Pequeñas imágenes del sol

Cuando el sol está en la vertical del observador, aparecen en el suelo formas circulares de luz en el espacio de sombra de los árboles. ¿Por qué son iguales? La luz solar que pasa a través de las hojas proyecta pequeñas imágenes del sol. Cuanto más pequeño es el hueco entre las hojas, más definida es la imagen. Cada hueco actúa a modo de «stop» de una cámara, impidiendo la filtración de la luz lateral y dejando pasar sólo algunos finos haces luminosos a través del follaje, creando una imagen bien definida.

Durante un eclipse solar, cuando la luna cubre parcialmente el sol, las pequeñas imágenes del sol en la sombra de los árboles también cambian de perfil, adoptando la forma de pequeñas lunas en fase creciente.

2. Imagen del sol

Mirar directamente el sol, o con unos binoculares, puede causar graves daños al ojo, incluso la ceguera. Pero hay una forma segura de observarlo. Coloca unos binoculares en una ventana abierta, orientada al sol. Pon un espejo delante de uno de los dos visores de los binoculares para proyectar una imagen del sol en la pared opuesta de la habitación. Ajusta la posición del espejo hasta conseguir una imagen bien definida, y oscurece la sala.

Verás el disco brillante reflejado en la pared con el mismo detalle que si lo estuvieras viendo en una película. Asimismo, distinguirás las nubes y aves que pasen volando y, si los binoculares son de buena calidad, incluso las manchas solares, áreas más frías en la incandescente esfera, algunas de ellas tan grandes como muchas Tierras. Debido a la rotación terrestre, la imagen del sol se desplazará bastante deprisa por la pared. Alinea los binoculares de vez en cuando para mantener una perfecta orientación. La luna y las estrellas no se pueden observar con este sistema, ya que la luz que procede de ellas es demasiado débil.

3. Reloj de sol

Coloca una maceta con una caña o varilla fijada en el orificio de la base en un lugar soleado durante todo el día. La sombra de la varilla se mueve a lo largo del borde de la maceta siguiendo el desplazamiento del sol. Cada hora marca la posición de la sombra en el borde de la maceta. De ahora en adelante, en los días soleados, podrás saber qué hora es.

A causa de la rotación de la Tierra, el sol da la sensación de describir una órbita semicircular en el cielo. Por la mañana y la tarde la sombra incide en la maceta en un ángulo cerrado, mientras que a mediodía, alrededor de las 12, lo hace en su ángulo más abierto en relación con el suelo. La sombra se puede ver con gran claridad en el lateral inclinado de la maceta.

4. Brújula con un reloj

Sostén un reloj en posición horizontal, con la manecilla de las horas apuntando directamente al sol. Si colocas una cerilla entre la manecilla de las horas y el 12, el extremo de la cerilla apuntará al sur.

Debido a la rotación terrestre, en 24 horas el sol da la impresión de describir una vuelta completa alrededor de la Tierra, pero la manecilla de las horas del reloj completa dos vueltas en la esfera. En consecuencia, antes de mediodía, habrá que orientar la cerilla a media distancia desde la manecilla hasta el 12, y después del mediodía, desde el 12 hasta la manecilla. El reloj apunta siempre al sur. A mediodía, es decir, a las 12 en punto, ambos, la manecilla y el 12, apuntarán al sol si estás situado en el sur.

QUÍMICA

5. La magia del color

Corta a trocitos una hoja de col roja y sumérgelos en una copa de agua hirviendo. Transcurrida media hora, vierte el agua teñida de colorante violeta en un vaso. Ya puedes utilizarla en tu experimento de colores mágicos. Pon tres vasos en una mesa, que aparentemente contienen agua pura. En realidad, sólo el primero contiene agua. Llena el segundo de vinagre blanco, y el tercero de una solución de bicarbonato sódico en agua. Cuando viertas un poco de agua de col en cada vaso, el líquido del primer recipiente seguirá siendo violeta; el del segundo se volverá rojo; y el del tercero, verde. El tinte violeta de la col tiene la propiedad de virar a rojo en líquidos ácidos, y el verde en los alcalinos. En agua neutra no cambia de color. En química se puede saber si un líquido es ácido o alcalino mediante indicadores «pH» (papel de tornasol).

6. El violeta se torna rojo

Si encuentras un hormiguero en alguna de tus excursiones, puedes realizar un sencillo experimento químico. Sostén una flor de color violeta, como por ejemplo una campanilla o un jacinto silvestre, sobre las hormigas. Se sentirán amenazadas y segregarán un fino líquido en espray de olor fuerte, pulverizando la flor. La zona de incidencia del líquido así pulverizado se volverá rojo.

Las hormigas fabrican un líquido protector corrosivo en la mitad posterior del cuerpo llamado «ácido fórmico». Lo notarás si una de ellas te muerde, aunque en general es bastante inocuo. El ácido vuelve rojos los pigmentos azules de la flor.

7. Tinta invisible

Si quieres escribir un mensaje secreto en un papel, usa vinagre, zumo de limón o cebolla a modo de tinta invisible. Escribe sobre papel blanco. Al secarse, la escritura es invisible. Quien recibe el mensaje deberá colocar el papel sobre la llama de una vela durante escasos segundos; el texto adquirirá una coloración amarronada y se podrá leer perfectamente. No acerques demasiado el papel a la llama; podría quemarse.

El vinagre y el zumo de limón o de cebolla desencadena una reacción química en el papel, transformándolo en una sustancia similar al celofán y, dado que su temperatura de ignición es más baja que la del papel, el texto escrito se torna marrón.

8. Cómo palidece una rosa

Coloca un trozo de azufre ardiendo en un bote de mermelada. Realiza el experimento fuera de casa, ya que desprende un vapor acre fruto de la combustión. Sostén una rosa en el interior del bote. Su color palidecerá visiblemente hasta volverse blanco.

Al quemarse el azufre, se forma dióxido de azufre, un gas de efecto blanqueador que destruye el tinte de la flor. Asimismo, el dióxido de azufre también destruye la clorofila de las plantas, lo cual explica su escaso crecimiento en las áreas industriales donde este gas contamina el aire.

9. Terrón de azúcar ígneo

Pon un terrón de azúcar en una tapa metálica (de un bote de legumbres, por ejemplo) e intenta prenderle fuego. No lo conseguirás. Pero si humedeces una esquina del terrón con una tizna de ceniza de un papel quemado y sostienes ahí una cerilla, empezará a arder con una llama azul hasta consumirse por completo.

La ceniza y el azúcar no arden por separado, pero juntos, la ceniza desencadena la combustión del azúcar. Una sustancia que desencadena una reacción química sin sufrir alteraciones se denomina «catalizador».

10. Llama

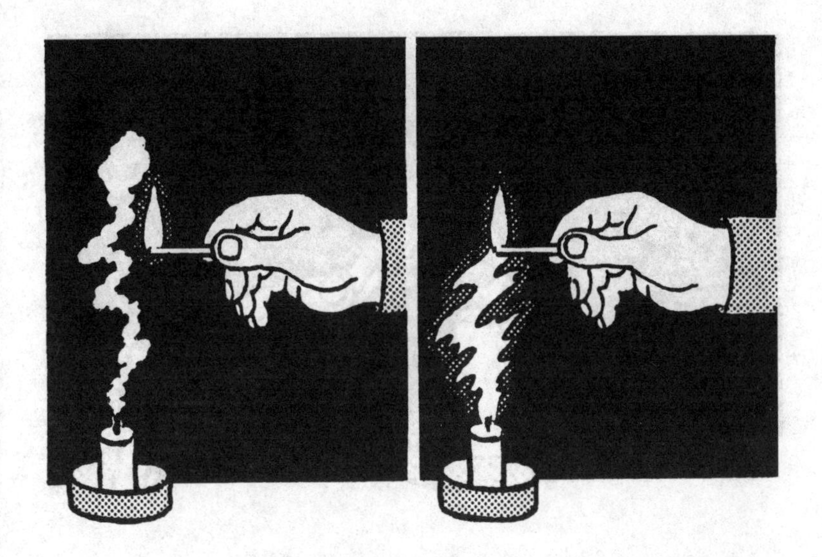

Enciende una vela, déjala arder durante un rato y luego apágala. La mecha dejará escapar un humo blanco. Si colocas una cerilla ardiendo en el humo, cerca de la vela, de la mecha emergerá una fugaz llama hasta la cerilla y la vela prenderá de nuevo.

Una vez apagada la llama, la estearina, una sustancia química presente en la cera, sigue estando tan caliente que continúa evaporándose. Al ser combustible, puede prender de nuevo muy fácilmente. El experimento demuestra que las sustancias sólidas deben transformarse primero en un gas antes de arder en una fuente de oxígeno.

11. Doble llama

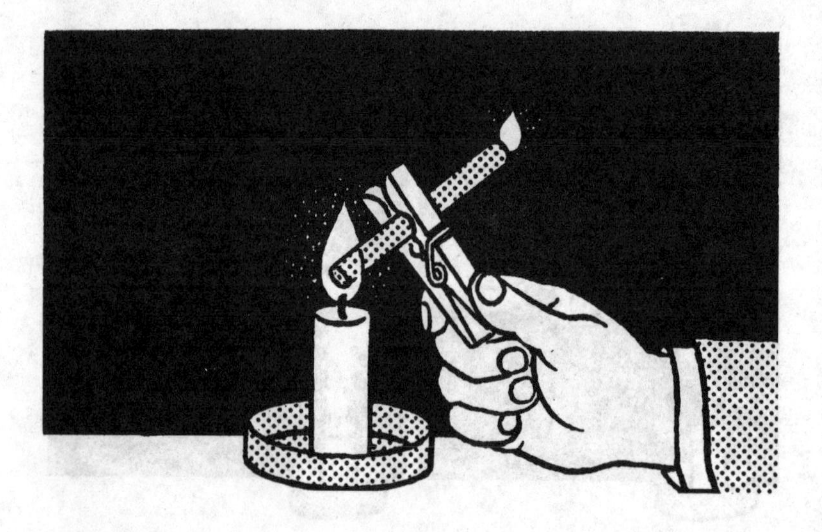

Enrolla un lápiz con papel de aluminio y luego sácalo para que quede un tubo de alrededor de 10 cm de longitud. Sostenlo con una pinza para la ropa con un extremo en medio de la llama de una vela. Si enciendes una cerilla y la acercas al otro extremo del tubo, aparecerá otra llama.

Al igual que todos los combustibles sólidos y líquidos, la estearina, cuando se calienta, produce gases combustibles que se acumulan en el interior de la llama y arden, con el oxígeno presente en el aire, en el estrato exterior y la punta de la misma. El vapor de estearina sin quemar en el centro de la llama se puede extraer y prender.

12. Burbujas en el lodo

Si observas un estanque, especialmente en verano, advertirás la formación de burbujas en el fondo lodoso que ascienden hasta la superficie. Si introduces una rama hasta el fondo, ascenderán hasta la superficie. ¿Qué son en realidad?

Las burbujas no son aire exhalado por los animales acuáticos, sino gas metano que se genera durante el proceso de fermentación y descomposición de las plantas en el fango. Enciende una cerilla y acércala a una burbuja; estallará con una llama azul.

El gas metano, un hidrocarburo, es inflamable, y constituye el componente principal del gas natural que utilizamos en la cocina y la calefacción. Se forma a lo largo de millones de años como material orgánico enterrado en los estratos superiores de la tierra en descomposición.

13. Equilibrio gaseoso

Pega dos bolsas de plástico en los extremos de un listón estrecho de madera, de alrededor de 50 cm de longitud, y equilíbralo con una chincheta como si de una balanza se tratara. Vierte un poco de bicarbonato sódico y vinagre en un vaso. Se formará espuma al escapar un gas. Si decantas el vaso sobre una de las bolsas, este lado de la balanza se desequilibrará.

El gas que emana durante la reacción química es dióxido de carbono, más pesado que el aire, de manera que se puede verter en la bolsa para añadirle peso. Si quisieras inflar un globo con este gas, jamás se elevaría. De ahí que se utilicen otros gases más ligeros que el aire para hacerlo.

14. Extintor

Prende una vela en un vaso vacío y, en otro, mezcla una cucharadita de bicarbonato sódico y vinagre. Deja que se forme espuma. Si decantas el vaso sobre la vela, se extinguirá.

Dado que el dióxido de carbono que se forma en la reacción química en la parte superior del vaso es más pesado que el aire, desplaza el oxígeno necesario para la combustión. El dióxido de carbono, no combustible, apaga la llama. Muchos extintores funcionan del mismo modo: la espuma que pulverizan consta de burbujas llenas de dióxido de carbono, que rodean la llama y bloquean el aporte de oxígeno.

15. Arde sin llama

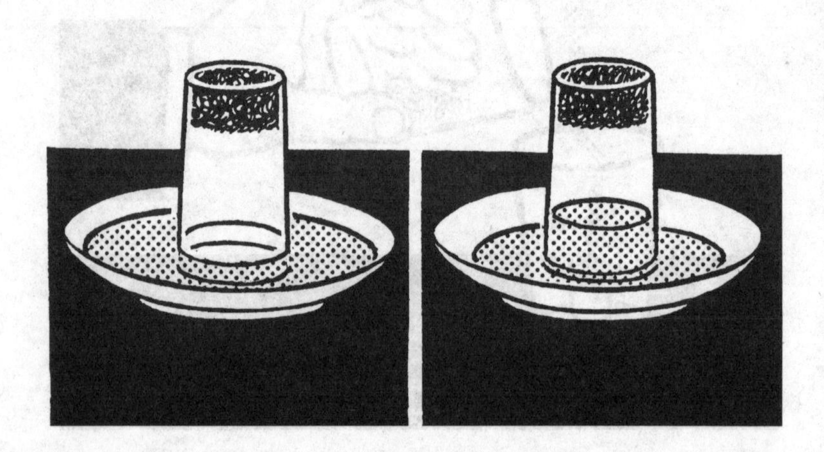

Coloca un puñado de lana de acero en el fondo de un vaso y humedécelo. Vuélvelo del revés sobre un plato con agua. Al principio, el aire contenido en el vaso impide la entrada de agua, pero pronto el nivel de agua del plato empieza a descender, ascendiendo en el interior del vaso.

Cuando la lana de acero se humedece, empieza a oxidarse. El hierro se combina con el oxígeno presente en el aire, un proceso llamado «combustión» u «oxidación». Durante el proceso se libera una cantidad imperceptible de calor. Dado que el aire está compuesto por una quinta parte de oxígeno, el agua asciende en el vaso hasta que, transcurridas varias horas, ha llenado una quinta parte del espacio.

16. El hierro también arde

¿Has pensado alguna vez que incluso el hierro puede arder con llama? Enrosca un poco de lana de acero muy fina alrededor de una varilla de madera y sostenlo en la llama de una vela. El metal empieza a resplandecer y emite chispas.

La oxidación, que era lenta en el experimento anterior, ahora es rápida. El hierro se combina con el oxígeno presente en el aire y forma óxido de hierro. La temperatura generada es más elevada que el punto de fusión del hierro. Dado que las partículas de hierro son incandescentes, es aconsejable hacer el experimento en un fregadero.

17. Destrucción del metal

Pon un trozo de papel de aluminio y una moneda de cobre en un vaso de agua, y déjalo así durante un día. Transcurrido este período, el agua parecerá turbia, y allí donde estaba la moneda observarás que el papel de aliminio está perforado.

Este proceso de descomposición se denomina «corrosión», y a menudo que produce en el punto donde se unen dos metales diferentes. Es muy común con mezclas de metales (aleaciones) si no están distribuidos uniformemente. En nuestro experimento, el agua se vuelve turbia a causa del aluminio disuelto. Asimismo, durante el proceso, también se produce una ligera corriente eléctrica.

ELECTRICIDAD

18. Flujo de electrones en una pila

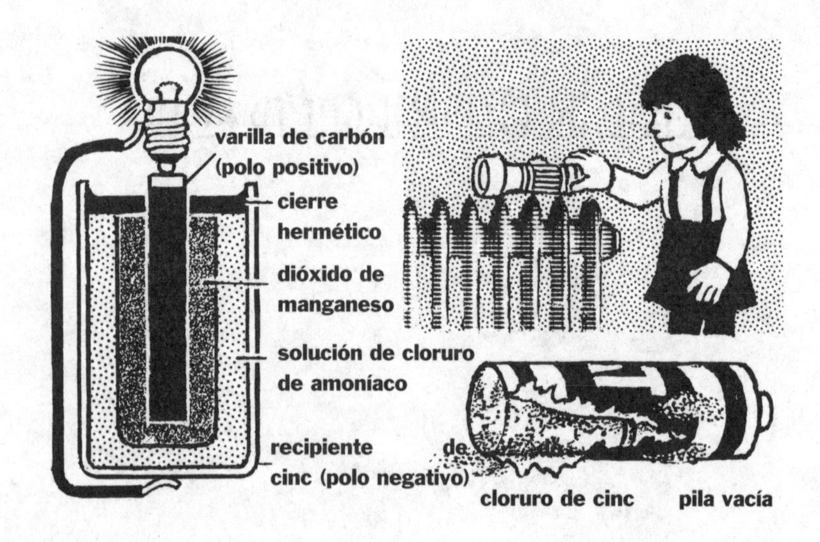

Si una linterna deja de funcionar, calienta la pila y la bombilla se encenderá de nuevo. ¿Por qué?

Se debe a una reacción química: la solución de cloruro de amoníaco corroe el recipiente de cinc de la pila. Esto crea el potencial para un flujo de electricidad que produce un exceso de electrones en el cinc y una deficiencia en la varilla de carbono, que está revestida de dióxido de manganeso para evitar la acumulación de gas hidrógeno, que interrumpiría la reacción. Al conectar una bombilla a la pila, los electrones fluyen desde el cinc (polo negativo) a la varilla (polo positivo). El filamento incandescente de la bombilla se enciende si circulan suficientes electrones.

Cuando la pila se va agotando, la reacción se ralentiza, y el flujo de electrones es demasiado débil para provocar la incandescencia. Recalentar la pila acelera la reacción y la bombilla se enciende brevemente. Cuando el cinc se ha corroído, y se ha transformado en un polvillo blanco, cloruro de cinc, la reacción química termina.

19. Monedas y corriente eléctrica

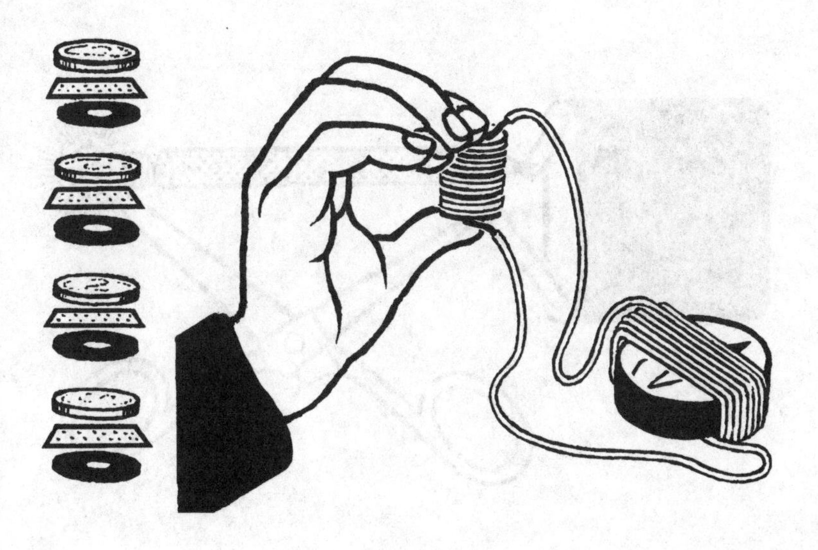

Coloca varias monedas de cobre y trozos de film de cinc del mismo tamaño alternativamente uno encima de otro, insertando entre cada par metálico un trocito de papel secante empapado en agua salada. Se produce electricidad. Ahora, enrolla cable de cobre aislado (cincuenta bucles) alrededor de una brújula y coloca los extremos en la moneda superior y el disco de cinc inferior. La corriente provoca un desplazamiento de la aguja de la brújula.

En un experimento similar, el físico italiano Volta generó corriente eléctrica. La solución salina actúa sobre el metal.

20. Conductor de grafito

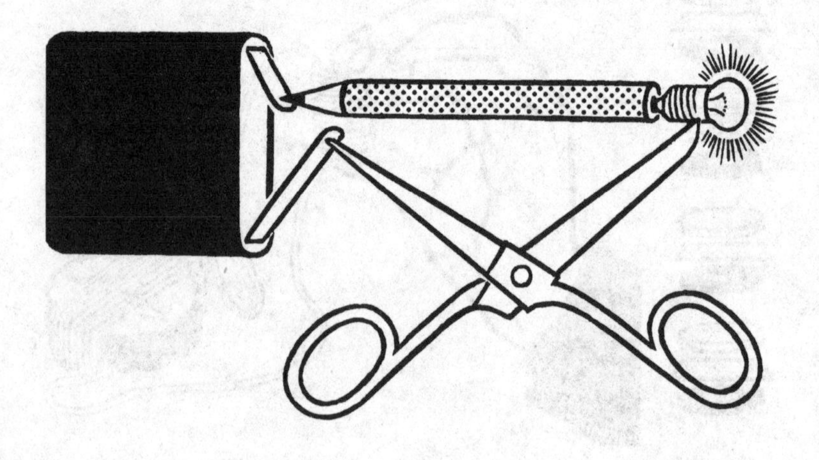

Conecta la bombilla de una linterna a una pila mediante unas tijeras y un lápiz. La bombilla se encenderá.

Desde el polo negativo de la pila fluye la corriente (de electrones) a través del metal de las tijeras hasta la bombilla. Dado que el filamento de la bombilla resiste el flujo eléctrico, se calienta y brilla. A continuación, la corriente fluye a través de la varilla de grafito del lápiz hasta el polo positivo de la pila. El grafito es un buen conductor, de manera que la electricidad fluye a través del mismo, y tal es el flujo eléctrico, que incluso circula a través del grafito en papel; oirás el clásico crujido en el auricular del teléfono.

21. Micrófono

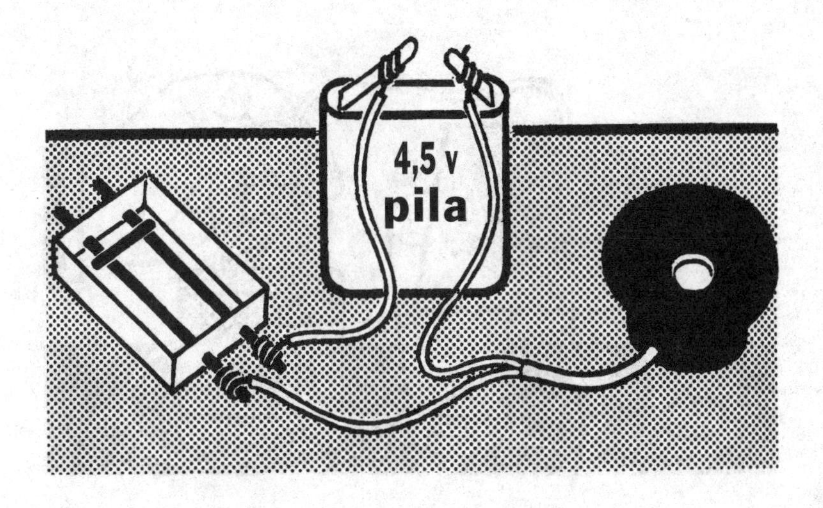

Inserta dos minas de lápiz en los lados cortos de una caja de cerillas, casi a nivel de la base. Rasca un poco la superficie y haz lo mismo con una mina más corta, que colocarás sobre las dos primeras. Conecta el micrófono a una pila y el auricular en otra habitación (puedes utilizar los auriculares de una radio). Sostén la caja en posición horizontal y habla. Tus palabras se oirán con claridad en los auriculares.

La corriente fluye a través de las minas de grafito. Al hablar, siempre orientado hacia la caja de cerillas, la base vibra, alterando la presión entre las minas y desequilibrando el flujo eléctrico. Las variaciones de corriente causan vibraciones en el auricular.

22. Círculos enigmáticos

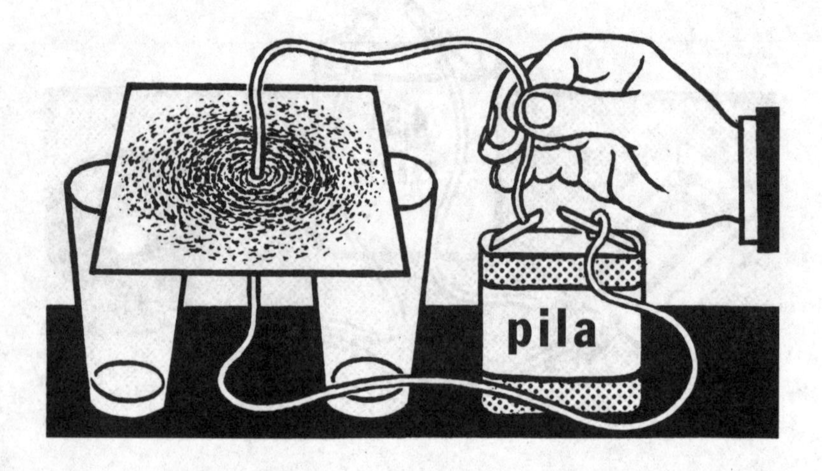

Inserta un trozo de cable de cobre en un trozo de cartulina en posición horizontal, y conecta los extremos del cable a una pila. Esparce limaduras de hierro en la cartulina y dale unos golpecitos con el dedo. Las limaduras formarán círculos alrededor del cable.

Si una corriente eléctrica directa pasa a través de un cable u otro conductor, se produce un campo magnético. El experimento no funciona con una corriente alterna, donde la dirección cambia en una rápida secuencia, ya que el campo magnético también cambiaría constantemente.

23. Electroimán

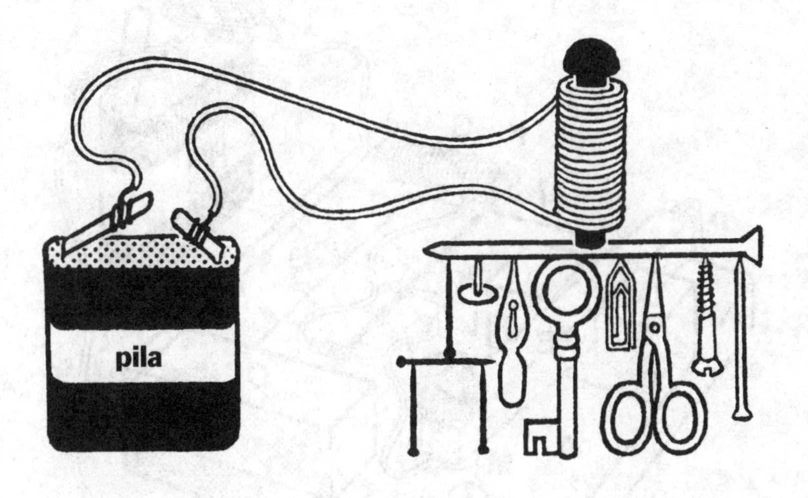

Enrolla uno o dos metros de cable eléctrico fino y aislado alrededor de un tornillo de hierro y conecta los extremos del cable a una pila. El tornillo atraerá toda clase de objetos metálicos.

La corriente que circula por la bobina produce un campo magnético y las diminutas partículas de hierro se distribuyen ordenadamente, con un polo norte y polo sur magnéticos. Si el tornillo es de aleación de hierro, pierde magnetismo al interrumpir el flujo de electricidad, pero si es de acero, la retiene.

24. Timbre eléctrico

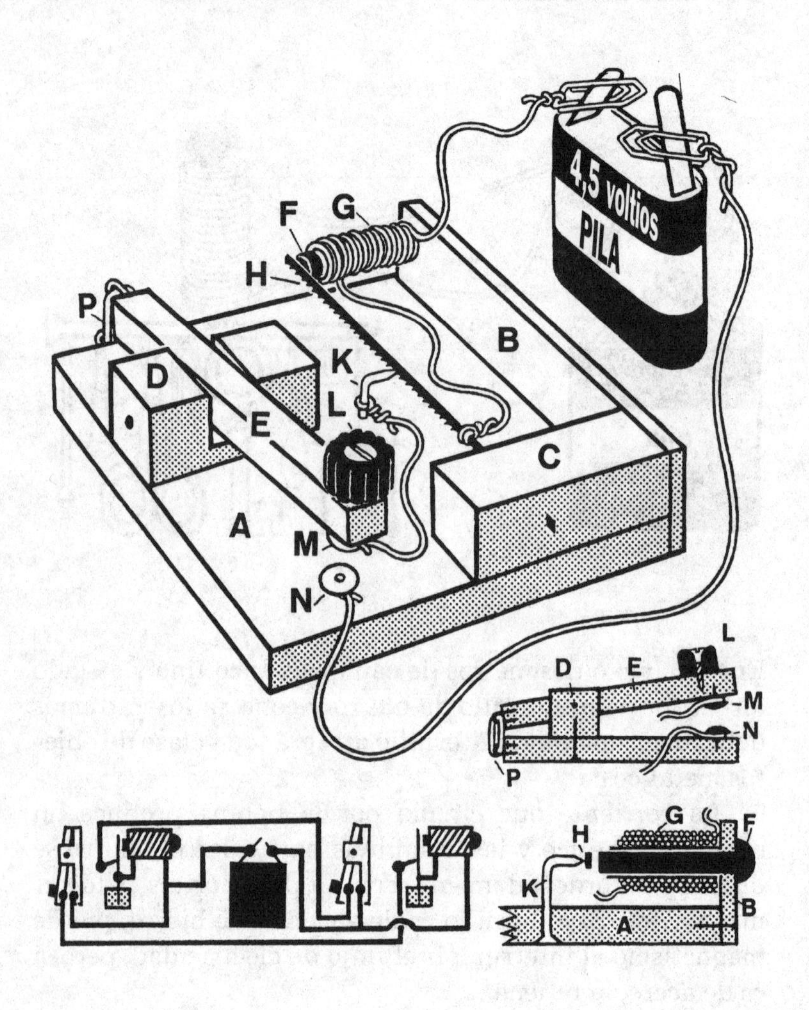

Clava la tabla B y los tacos de madera C y D en el tablero A (alrededor de 15 x 15 cm). Practica un orificio B e inserta un tornillo de hierro F a través del mismo. Enrolla cien veces el cable de cobre aislado G alrededor del tornillo y conéctalo a uno de los polos de una pila. Practica un orificio en el bloque C y ajusta la hoja de sierra H, de manera que su extremo quede a poca distancia del tornillo F. Coloca el otro extremo del cable en la hoja. Clava un clavo largo K a través de A y dóblalo, de forma que la punta se apoye en la mitad de la hoja de sierra. Engrasa la punta del tornillo con un poco de aceite. Usa la pieza de madera E a modo de tecla basculante, con un aro de goma P a modo de resorte y chinchetas M y N como contactos. Une todas las partes con el cable de conexión (retira el aislante).

Si pulsas la tecla, cierras el circuito eléctrico, y el tornillo F se magnetiza, atrayendo a H. En este momento, el circuito se abre en K y el tornillo pierde su magnetismo. H salta hacia atrás y conecta de nuevo la corriente. Este proceso se repite tan deprisa que la hoja de sierra vibra y produce un fuerte zumbido. Si quieres utilizarlo como emisor de morse con dos aparatos idénticos, fíjate en el esquema inferior del diagrama.

25. Patata eléctrica

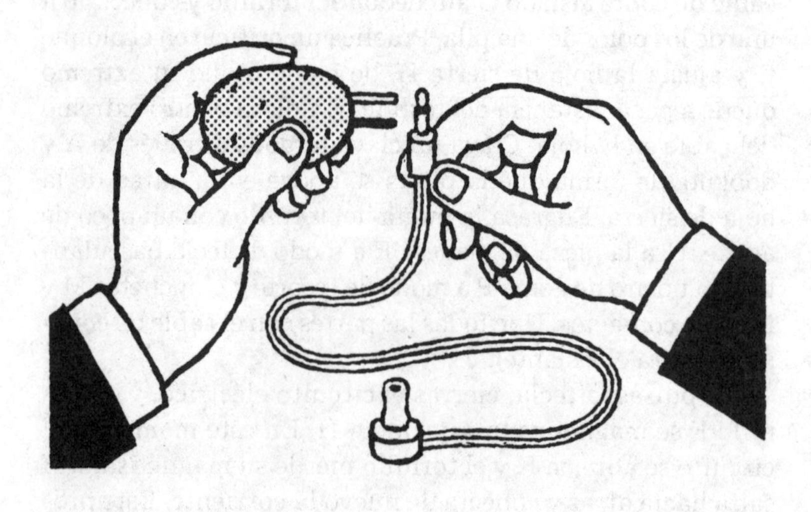

Inserta en una patata dos piezas de cable de cobre y cinc, de una longitud similar a la de un dedo. Si unes los extremos del cable de un auricular a los clavos previamente insertados, oirás un crujido muy especial.

El ruido está causado por una corriente eléctrica. La patata y los cables producen un flujo eléctrico de una forma idéntica al de una pila de linterna, aunque más débil. La savia de la patata reacciona con los metales en una reacción química que genera energía eléctrica. Es lo que llamamos «pila galvánica», ya que fue el doctor italiano Galvani el primero en observar este proceso en un experimento similar realizado en 1789.

26. Abanico cromático

Sostén una varilla de color pálido entre el pulgar y el índice, y muévela rápidamente arriba y abajo bajo una luz de neón. No verás, como podrías esperar, una sola línea brillante y borrosa, sino algo similar a un abanico oriental con astas iluminadas y oscuras.

Los tubos de neón contienen un gas que emite destellos 50 veces por segundo a causa de las rápidas inversiones de corriente alterna. La varilla en movimiento se desplaza alternativamente arriba y abajo, de la luz a la oscuridad, en una rápida secuencia, dando la impresión de un semicírculo. La luz de un televisor también produce el mismo efecto. El ojo es demasiado lento para percibir claramente estas interrupciones en la iluminación. En una bombilla de luz eléctrica normal, el filamento metálico sigue brillando entre los «picos» de flujo eléctrico.

27. Los rayos y la tensión eléctrica

Si te sorprende una tormenta eléctrica, no corras. Si un rayo cae en un árbol cercano puede poner en peligro tu integridad física, ya que la energía eléctrica circula a través del suelo. Dado que la energía potencial disminuye al incrementarse la distancia del árbol, puede ser más fuerte debajo de la pierna posterior que de la anterior. Teniendo en cuenta que la electricidad fluye hacia el potencial más bajo, pasa a través del cuerpo, ya que éste es mejor conductor que el suelo.

Es mucho más seguro agacharse con los pies juntos en una pequeña depresión del terreno para evitar las descargas eléctricas. La electricidad circula por debajo, como si se tratara de un pájaro posado en una línea del tendido eléctrico.

28. Flujo de la corriente eléctrica

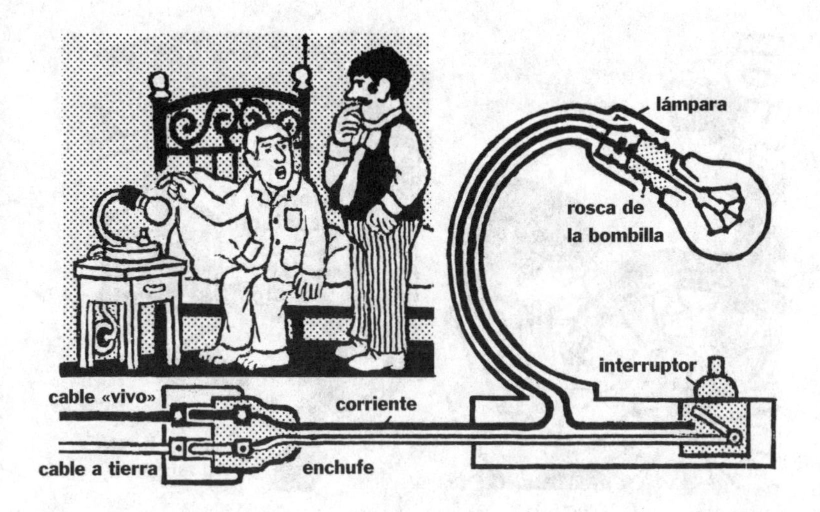

Un huésped de un hotel se queja de haber recibido una descarga eléctrica mientras buscaba el interruptor en la oscuridad, al tocar la rosca que sobresalía del portalámparas. El dueño duda de que en realidad sufriera una descarga, argumentando que la lámpara estaba apagada, impidiendo así el paso de la electricidad. ¿Quién tiene razón?

La respuesta depende de la posición del enchufe en la toma de corriente. Si el cable que conduce la corriente alterna está conectado directamente al interruptor, se interrumpe en este punto, pero si fluye primero hasta la bombilla, a través del otro cable, y luego hasta la rosca de la lámpara, la corriente circulará por el filamento y el resto del circuito hasta el interruptor sin que la bombilla esté encendida, con el consiguiente peligro de descarga.

29. Circuito eléctrico con una bicicleta

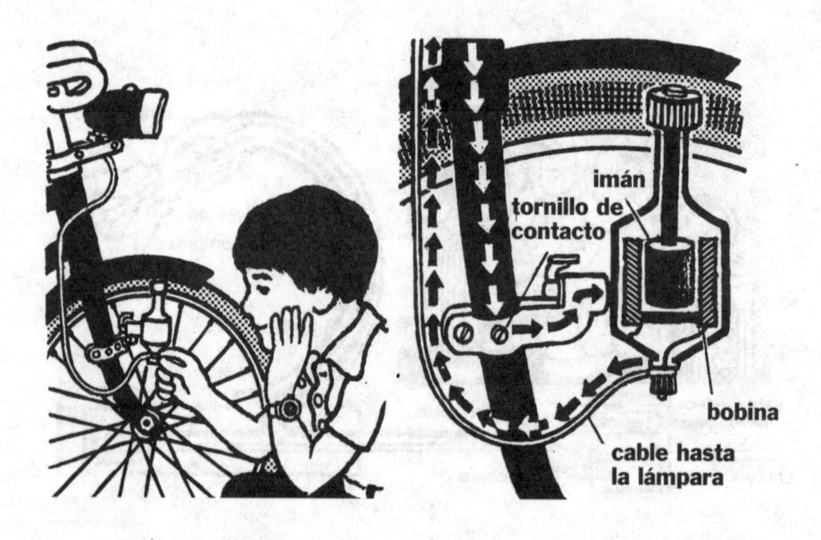

Un niño se pregunta por qué el generador y la lámpara de la bicicleta sólo están unidos por un cable; debería de haber dos para completar un circuito cerrado. ¿Cómo circula la electricidad desde el generador hasta la lámpara?

Cuando la bicicleta está en movimiento, un imán permanente en el interior del generador rota en el centro de un carrete de hilo de cobre finamente bobinado. La fuerza magnética del imán girando crea un potencial eléctrico, o tensión, en la bobina de cobre. La electricidad fluye a través del cable hasta la lámpara a través del filamento incandescente de la bombilla, y luego a través del cajetín de la lámpara, la horquilla de la bicicleta y la caja metálica del generador, regresando hasta la bobina. El pequeño tornillo de contacto en la caja del generador es importante; atraviesa la capa aislante de pintura hasta el metal de la horquilla y cierra el circuito.

ELECTRICIDAD ESTÁTICA

30. Globos en el techo

Infla unos cuantos globos y frótalos durante unos segundos en un suéter de lana. Si los lanzas hasta el techo, permanecerán allí durante horas.

Al frotar los globos, se cargan negativamente con electricidad estática, es decir, absorben minúsculas partículas de carga eléctrica negativa (electrones) del suéter. Dado que los cuerpos cargados eléctricamente son atraídos débilmente hacia los de carga neutra, los globos se adhieren al techo hasta que las cargas entre ambos se igualen gradualmente. Este proceso suele durar horas en una atmósfera seca, porque los electrones fluyen lentamente desde los globos hasta el techo, que es un mal conductor.

31. Sal y pimienta

Esparce un poco de sal gruesa en la mesa y mézclala con un poco de pimienta molida. ¿Cómo podrías separarlas de nuevo? Frota una cuchara de plástico, o varias, si quieres conseguir un mayor efecto, con un suéter de lana y sostenla a un par de centímetros por encima de la mezcla. La pimienta «saltará» y se adherirá a la cuchara.

La cuchara de plástico se carga negativamente al frotarla y atrae tanto la pimienta como la sal. Sin embargo, aquélla se adhiere primero al ser más ligera que ésta. Para atrapar los granos de sal, debes acercar más la cuchara, aumentando así la fuerza de atracción.

32. Serpiente enroscada

Toma una hoja de papel de cocina y recorta una espiral, colócala sobre una tapa metálica y dobla hacia arriba el extremo exterior. Frota vigorosamente una pluma estilográfica con un suéter de lana y acércala a la espiral; se elevará como si se tratara de una serpiente.

En este caso, la pluma ha absorbido electrones de la lana y atrae el papel, sin carga eléctrica alguna. Al entrar en contacto, el papel se desprende, pues absorbe una parte de la carga eléctrica negativa, que fluye inmediatamente hasta la tapa metálica, que es un buen conductor. Dado que ahora el papel está descargado, es atraído de nuevo, un proceso que se repite hasta que la pluma estilográfica pierde su carga.

33. Arco de agua

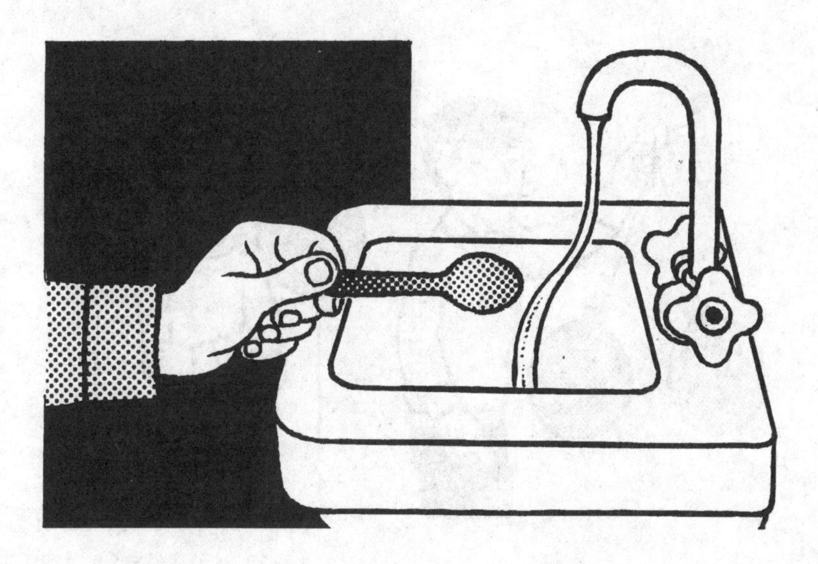

Frota una vez más una cuchara de plástico con un suéter de lana, abre un grifo y acércala al chorro (cuanto más fino, mayor es el efecto). El agua describirá un arco hacia la cuchara.

La carga eléctrica atrae las partículas de agua sin carga. No obstante, si el agua toca la cuchara, el efecto desaparece. El agua conduce la electricidad y absorbe la carga de la cuchara, al tiempo que diminutas partículas de agua suspendidas en el aire también absorben electricidad. De ahí que los experimentos con electricidad estática siempre den mejores resultados en los días despejados y en habitaciones con calefacción central.

34. Globos hostiles

Infla dos globos y átalos. Frótalos con un suéter de lana y déjalos colgando de la cuerda. En lugar de atraerse como los objetos en los experimentos anteriores, se distancian el uno del otro.

Al frotarlos, los globos se cargan negativamente, pues absorben electrones del suéter, que ahora tiene carga positiva. Las cargas negativa y positiva se atraen entre sí; de ahí que los globos se adhieran al suéter. Sin embargo, las cargas iguales se repelen, y los globos se separan.

35. Electroscopio simple

Practica un orificio en la tapa de un bote de mermelada e inserta un trozo de cable de cobre. Dobla el extremo inferior formando un bucle y cuelga una tira de papel de aluminio. Sujeta una pluma estilográfica, peine u objeto similar previamente cargado eléctricamente frotándolo en el extremo superior del cable; los extremos de la tira se separarán.

En contacto con un objeto cargado eléctricamente, los electrones fluyen a través del cable hasta los extremos de la tira de papel de aluminio. Ahora los dos tienen la misma carga negativa y se repelen entre sí, en mayor o menor medida dependiendo de la fuerza de la carga. Esto es precisamente lo que mide un electroscopio.

36. Juego de pelota eléctrico

Recorta un trozo de papel de aluminio en forma de jugador de fútbol y pégalo con cinta adhesiva en el borde de un disco de vinilo. Frota vigorosamente el disco con un suéter de lana y ponlo sobre un vaso seco. Coloca una lata a unos 5 cm de la figurilla. Si sostienes una pequeña bolita de papel de aluminio sujeta con un hilo entre la lata y la figura, oscilará repetidamente desde ésta hasta la lata y de la lata en un movimiento de vaivén.

La carga eléctrica negativa del disco fluye hasta la figura de papel de aluminio y atrae la bola. Al entrar en contacto, ésta se carga negativamente, pero es repelida de inmediato, ya que las cargas se igualan, desplazándose hacia la lata, donde pierde sus electrones. Este proceso se repite durante algunos segundos.

37. Moscas eléctricas

Frota un viejo disco de vinilo con un suéter de lana y colócalo sobre un vaso. Si tiras unas cuantas bolitas de papel de aluminio en el disco, se separarán las unas de las otras en un movimiento de zig-zag. Si las reúnes de nuevo con el dedo, se volverán a separar.

La electricidad producida al frotar el disco se distribuye en campos irregulares. Las bolitas absorben la carga negativa y se repelen, pero de nuevo son atraídas hacia los campos con carga opuesta (positiva). También se repelen cuando entran en contacto con bolitas de la misma carga.

38. El baile de los monigotes

Coloca un cristal sobre dos libros, formando un puente, y pon un plato metálico debajo del cristal. Recorta pequeñas figurillas de 2-3 cm de altura con papel de cocina. Si frotas el cristal con un suéter de lana, las figurillas iniciarán una alegre danza: se pondrán de pie, girarán en círculo, caerán y saltarán de nuevo.

El cristal se carga eléctricamente al frotarlo con la lana, atrae a los bailarines y también los carga. Dado que las dos cargas iguales se repelen, las figurillas caen de nuevo en el plato, transfieren su carga al metal y son atraídas de nuevo por el cristal.

39. Limpiando el aire

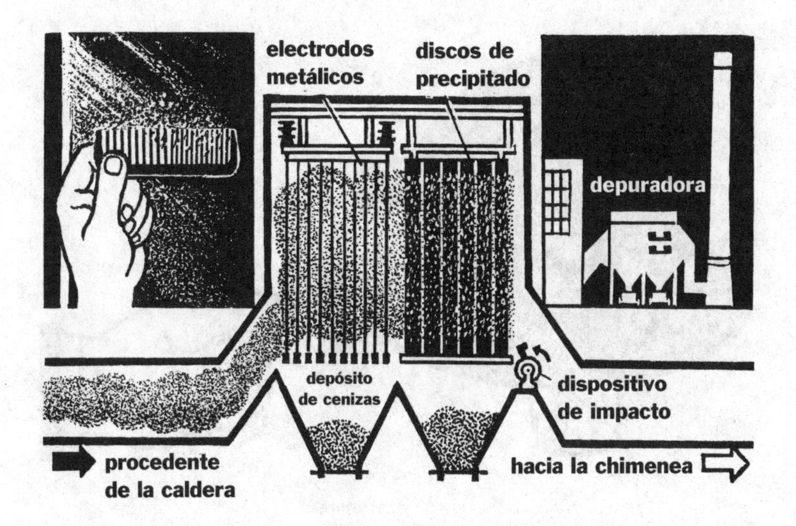

Observa un rayo de sol filtrándose por una rendija en una habitación en penumbra. ¡Menuda cantidad de polvo en suspensión! Lo puedes eliminar con un peine cargado eléctricamente, frotándolo con un suéter o bufanda de lana. El peine, ahora con carga negativa, atrae las partículas de polvo sin carga, que se adhieren al mismo.

Las depuradoras que eliminan las cenizas del humo que emana de las chimeneas de las fábricas actúan de un modo similar. Junto con los gases de escape de la caldera, la ceniza pasa a través de parrillas metálicas sometidas a una fuerte tensión eléctrica directa. Dado que los cuerpos cargados son atraídos por los descargados, algunas de las partículas de ceniza quedan atrapadas en la parrilla, mientras que otras se adhieren un poco más adelante a grandes discos metálicos sin carga.

40. Alto voltaje

Pon una bandeja plana de hornear sobre un vaso seco, frota vigorosamente un globo en un suéter de lana y luego colócalo sobre la bandeja. Si acercas el dedo al borde de la bandeja, saltará una chispa.

La chispa se produce al igualarse la carga entre el metal y el dedo. Aunque se descarga con varios miles de voltios, es tan inocua como las chispas producidas al peinarte. Un científico estadounidense calculó que el pelaje de un gato se debería frotar 9.200.000.000 veces para generar una corriente eléctrica suficiente como para alimentar una bombilla de 75 vatios durante un minuto.

41. Un pararrayos en los dedos

Cuando caminas sobre una moqueta de fibra sintética, las suelas de goma de los zapatos absorben electrones de las fibras. Al acumularse la carga, algunos de los electrones del cuerpo fluyen hasta la punta de los dedos, y cuando tocas un objeto con conexión a tierra, saltan desde los dedos, produciendo una pequeña chispa eléctrica. Aunque la tensión de este tipo de chispas contiene varios miles de voltios, es inocua a causa de su pequeña cantidad de corriente. Si estas minidescargas te resultan desagradables, puedes canalizarlas a través de una llave u otro objeto similar. Al igual que un pararrayos en el tejado de un edificio, que desvía hasta tierra el rayo procedente de una nube de tormenta, alejándolo así de la casa, la energía que circula entre el cuerpo y el objeto con conexión a tierra se descarga a través del metal que sostienes en la mano, un excelente conductor.

42. Ráfaga luminosa

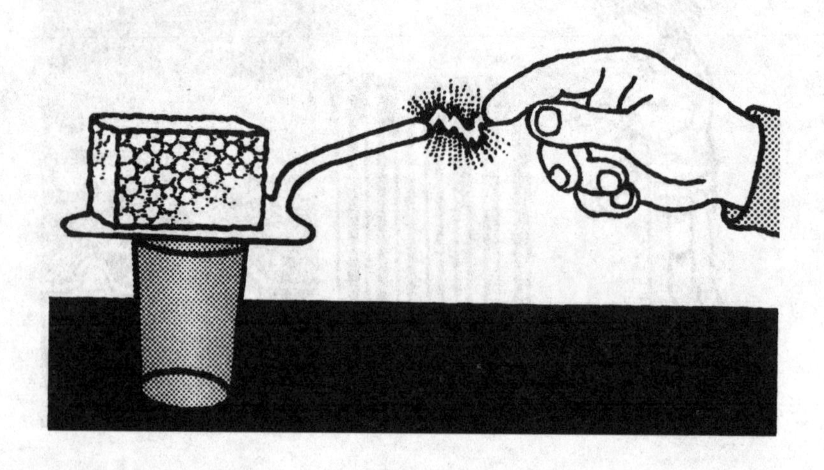

Coloca una pala metálica corta-tartas o cualquier otro objeto similar sobre un vaso seco, y encima, un trozo de plástico de poliestireno duro previamente frotado con en suéter de lana. Si acercas el dedo al mango de la pala, saltará una chispa.

Cuando el plástico cargado negativamente entra en contacto con la pala, los electrones del metal son repelidos hacia el extremo del mango. Al producirse la chispa, la carga entre la pala y tu dedo se iguala. Los materiales plásticos pueden absorber cargas muy potentes. En los almacenes, por ejemplo, las peanas metálicas para rollos de plástico están conectadas a tierra, ya que de contrario saltarían chispas al tocarlos el personal.

43. Luz eléctrica

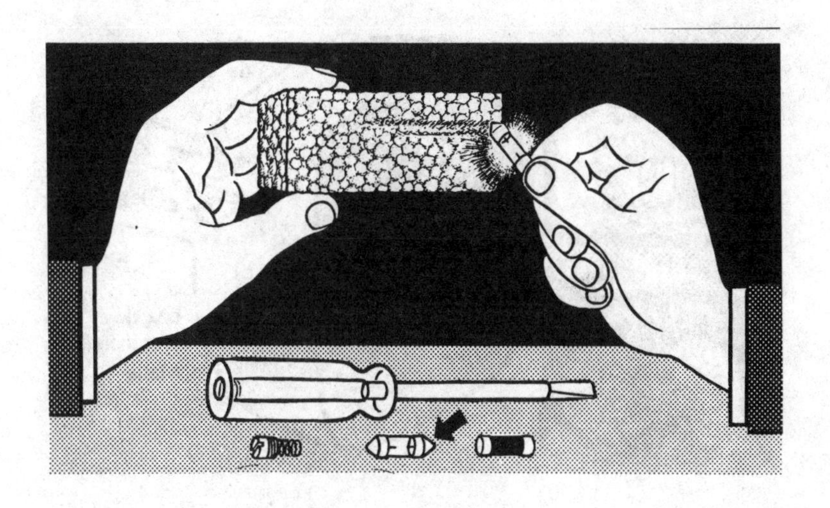

Intenta conseguir un *tester* de voltaje en forma de destornillador, en cuyo mango hay, entre otras cosas, un pequeño tubo de neón fácilmente extraíble. Sujeta firmemente un extremo metálico y frota el otro con un bloque de plástico de poliestireno duro de los que se usan a menudo para embalaje o aislante. La lámpara empezará a brillar al frotar. Podrás observarlo perfectamente en la oscuridad.

Dado que el plástico es blando, sus capas friccionan entre sí a causa del movimiento de la lámpara y se cargan poderosamente de electricidad. Los electrones se acumulan en la superficie, fluyen a través del núcleo de la lámpara, que empieza a brillar, y llegan hasta tu cuerpo.

Los antiguos griegos ya habían descubierto que el ámbar atraía otras sustancias al frotarlo. Llamaron «electrón» a esta resina petrificada.

44. Efectos de los rayos catódicos

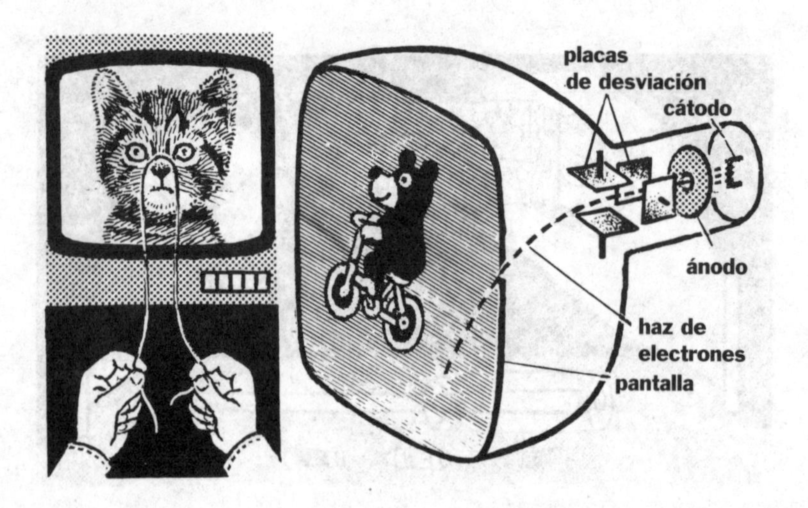

Cuando se enciende la pantalla de un televisor, atrae más polvo. Si sostienes un hilo de algodón de 1 m de longitud delante de la pantalla, levitará horizontalmente. ¿Por qué?

El rayo catódico (una corriente de electrones enviada desde el cátodo, un cable incandescente situado en la parte posterior del tubo del televisor) produce la atracción. En primer lugar, el haz de electrones es atraído por el ánodo, un disco metálico con un orificio circular, que concentra el haz de tal modo que incide en la pantalla y brilla en forma de un minúsculo punto. Canalizado mediante platos con carga eléctrica, el rayo se puede desplazar rápidamente en los planos vertical y horizontal. Al moverse el haz, proyecta 800 puntos en cada una de las 525 líneas con diferente intensidad de brillo, creando una nueva imagen treinta veces por segundo.

Los electrones, al impactar en la pantalla, la cargan electroestáticamente como un cristal al frotarlo con un paño de seda. Luego, la pantalla cargada negativamente atrae objetos sin carga.

45. Meteoritos con cereales de arroz

Carga una cuchara de plástico con un suéter de lana y sostenlo sobre un plato con cereales de arroz inflado. Los granitos saltan y se adhieren a la cuchara hasta que de pronto salen disparados en todas direcciones.

Los granos de arroz son atraídos por la carga negativa de la cuchara y se adhieren a ella durante unos segundos. Algunos electrones pasan de la cuchara al arroz, hasta que los granos y la cuchara igualan su carga. Y, dado que las cargas iguales se repelen, los granos de arroz salen volando de la cuchara.

MAGNETISMO

46. Líneas magnéticas

Coloca una hoja de papel de dibujo sobre un imán y esparce limaduras de hierro sobre él. Golpea ligeramente el papel y aparecerán formas simétricas.

Las limaduras forman líneas curvas que revelan la dirección de la fuerza magnética. Si lo deseas, puedes hacer que la figura sea permanente para poder guardarla. Sumerge con cuidado el papel en cera de vela fundida y déjalo secar. Esparce las limaduras en él. Sostén una plancha caliente sobre el papel tras la formación de las líneas magnéticas.

47. El campo magnético de la Tierra

Sostén una barra de hierro orientada hacia el norte, ligeramente inclinada hacia abajo, y golpéala varias veces con un martillo. Quedará magnetizada.

Nuestro planeta está rodeado por líneas de campo magnético que convergen en tierra en América del Norte y Gran Bretaña en un ángulo de entre 60° y 80°. Al golpear el hierro, algunas de sus partículas magnéticas se alinean siguiendo el patrón de las líneas del campo magnético terrestre, apuntando al norte. De un modo similar, en ocasiones las herramientas se magnetizan sin razones aparentes. Si sostienes una barra magnetizada en dirección este-oeste y la golpeas con un martillo, perderá el magnetismo.

48. ¿Magnético o no?

Muchos objetos de hierro y acero están magnetizados sin que nos demos cuenta. Lo puedes detectar con una brújula.

Si una varilla metálica está magnetizada, deberá tener, al igual que la aguja de la brújula, un polo norte y un polo sur. Dado que dos polos distintos se atraen y dos polos iguales se repelen, uno de los polos de la aguja será atraído por el extremo de la varilla y el otro repelido. Si la varilla no está magnetizada, los dos polos de la aguja sólo serán atraídos muy débilmente.

49. Aguja de brújula

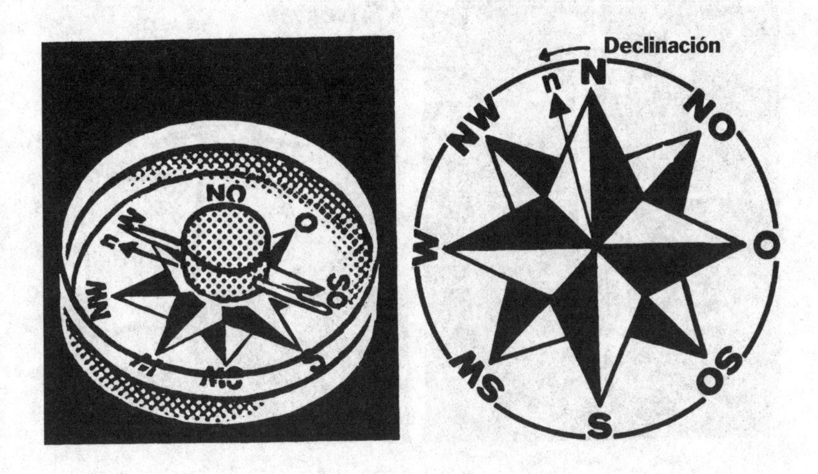

Frota una aguja con un imán hasta que esté magnetizada e insértala en un disco de corcho. Pon la aguja en una tapa de plástico transparente con agua y girará en dirección norte-sur. Coloca una cartulina con las direcciones de la brújula dibujadas en ella debajo de la tapa.

La aguja apunta hacia el Polo Norte magnético de la Tierra, situado en el norte de Canadá, y que no hay que confundir con el Polo Norte geográfico, alrededor del cual gira la Tierra. La deriva (declinación) de la aguja magnética del norte real es de 8° en Londres y 15° en Nueva York (en dirección oeste), y de 1° en Chicago y 15° en Los Ángeles (en dirección este).

50. Polos

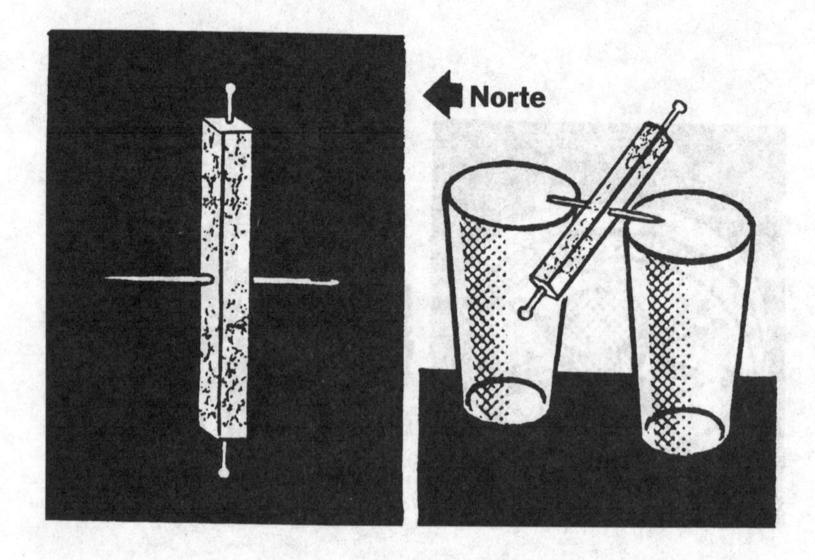

Magnetiza dos tachuelas de acero de manera que las puntas se atraigan poderosamente entre sí. Insértalas en los extremos de un bloque de espuma de poliuretano de un grosor aproximado al de un lápiz, e inserta un alfiler en el centro del bloque. Equilíbralo entre dos vasos, modificando la posición de las tachuelas y recortando pedacitos de espuma. Si colocas esta brújula oscilando en dirección norte-sur, se detendrá con el extremo orientado al norte inclinado hacia abajo.

La aguja de la brújula queda paralela a las líneas del campo magnético que se extienden por todo el planeta de polo a polo.. Esta desviación de la horizontal es de 67° en Londres, 72° en Nueva York, 60° en Los Ángeles y 90° en los polos magnéticos de la Tierra.

51. Patitos magnéticos

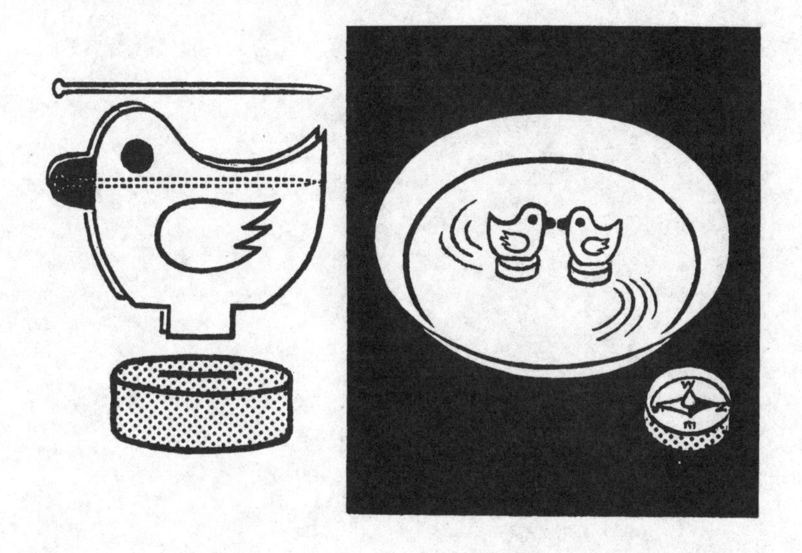

Recorta dos patitos con el papel doblado, pégalos e inserta un alfiler previamente magnetizado en cada uno de ellos. Hazlo de tal modo que los dos polos que se atraerán coincidan en el pico de los patitos. Colócalos en dos discos de corcho y déjalos flotando en un plato de agua. No tardarán en alinear el pico o la cola en dirección norte-sur.

Los patitos se aproximan el uno al otro siguiendo las líneas del campo magnético. Su movimiento está causado por fuerzas diferentes: la atracción de polos magnéticos opuestos, el efecto repelente de polos iguales y el magnetismo terrestre.

AIRE

52. Presión atmosférica

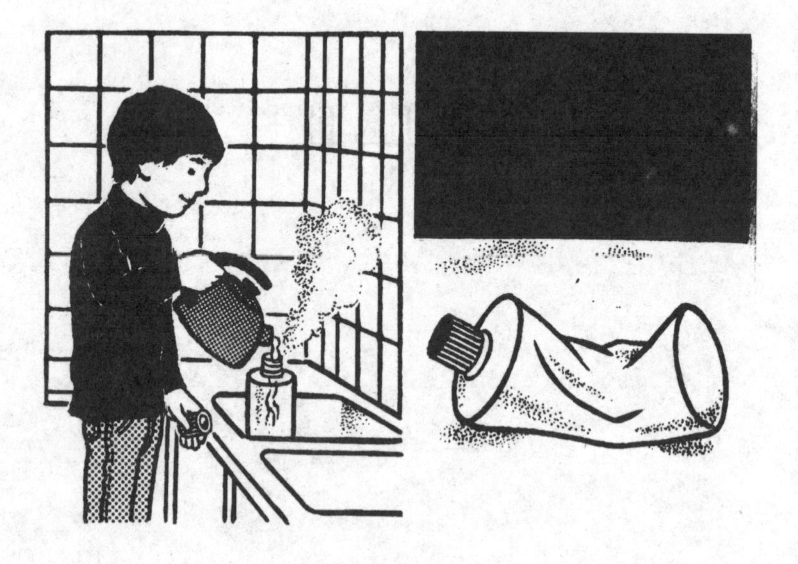

Llena hasta la mitad una botella de plástico de agua muy caliente, ciérrala herméticamente y luego métela en el frigorífico. Se aplastará. ¿Cuál es la causa?

El calor del agua hace que el aire en el interior de la botella se expanda un tercio aproximadamente; esta parte escapa. En el proceso de enfriamiento, el aire se contrae de nuevo, creando una baja presión en la botella. Dado que la presión exterior del aire es más elevada, comprime la botella hasta que la presión del aire interior es igual a la exterior.

Esto demuestra el enorme peso de la atmósfera que rodea la Tierra: presiona con 1 atmósfera, una cantidad equivalente a poco más de 6 kg por cm^2 de la superficie de la botella.

53. El pañuelo no se moja

Si quieres, puedes sumergir un pañuelo en agua sin que se moje. Presiónalo con firmeza para que se adhiera al fondo de un vaso y sumérgelo bajo el agua. Aunque el aire es invisible, está formado de moléculas de oxígeno, nitrógeno y otros gases que llenan el espacio. En consecuencia, también hay aire en el vaso invertido, evitando que entre el agua. No obstante, si lo sumerges mucho más, verás cómo penetra una pequeña cantidad de agua, ya que aumenta la presión del agua, comprimiendo ligeramente el aire.

54. Globo en una botella

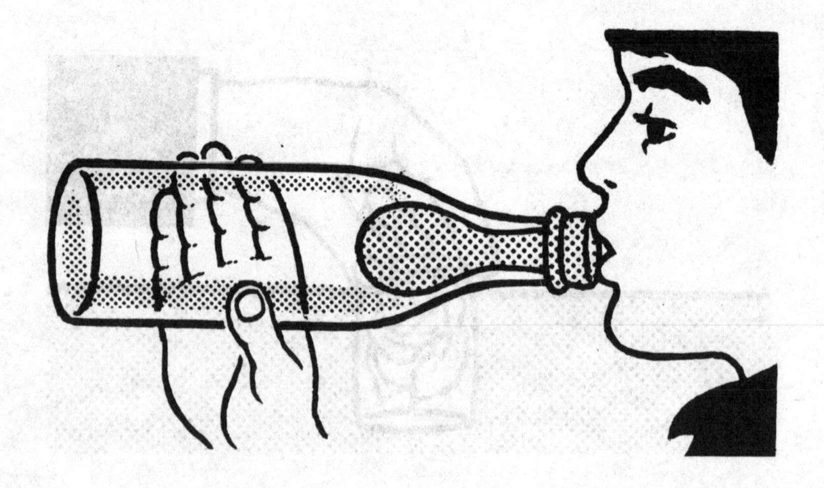

¿Crees que siempre es posible inflar un globo? Te asombrarías. Introduce un globo en una botella, de manera que la abertura de aquél coincida con la de ésta. Supla con fuerza. Apenas nada, ¿verdad? Te has quedado sin aliento y no lo has conseguido.

Al aumentar la presión del aire en el globo, también aumenta la contrapresión del aire encerrado en la botella, tanto que los músculos respiratorios del tórax no son lo bastante fuertes como para contrarrestarla.

55. Cerradura de aire

Introduce un embudo en la boca de una botella y séllala con plastilina para que quede bien hermética. Si viertes un poco de agua en el embudo, no penetrará en la botella.

El aire encerrado en la botella impide la entrada del agua. Asimismo, las moléculas de agua en la boca del embudo, que se mantienen juntas a causa de la tensión superficial, forman una especie de piel que no permite que el aire escape. Cierra un extremo de una pajita de refresco con el dedo, introduce el otro extremo en el embudo y luego levanta el dedo. Ahora el agua fluirá en la botella; el aire escapa a través de la pajita.

56. Agua en suspensión

Llena de agua un vaso hasta colmarlo y coloca una postal o cartulina sobre él. Sujeta la cartulina con una mano, vuelve el vaso del revés y quita la mano de la cartulina. Quedará adherida al vaso, impidiendo la salida del agua.

Con un vaso de altura normal, un peso de agua de alrededor de 1 kg ejerce presión descendente sobre cada centímetro cuadrado de la cartulina. Al mismo tiempo, sin embargo, la presión del aire que empuja hacia arriba, por debajo de la cartulina, es aproximadamente cien veces mayor en cada centímetro cuadrado. La presión del aire mantiene la cartulina tan firmemente adherida al vaso, que el aire no puede penetrar por los bordes, ni tampoco salir el agua.

57. Peso del aire en un papel

Pon una tapa de caja de cigarros puros o una fina plancha de madera en el borde de una mesa, de manera que sobresalga un poco. Extiende una hoja de papel de periódico y alísalo sobre la tapa, marcando los bordes de forma que el papel quede firmemente ajustado. Golpea con fuerza la parte sobresaliente de la tapa con el puño. Se romperá sin que el papel salga volando.

Al golpear, la tapa sólo se levanta un poquito, y en el espacio que queda entre la tapa, el papel y la mesa, el aire no puede penetrar en una cantidad suficiente. Se forma un vacío parcial, y la presión superior normal del aire mantiene la tapa inmóvil, como si estuviera pegada.

58. Surtidor

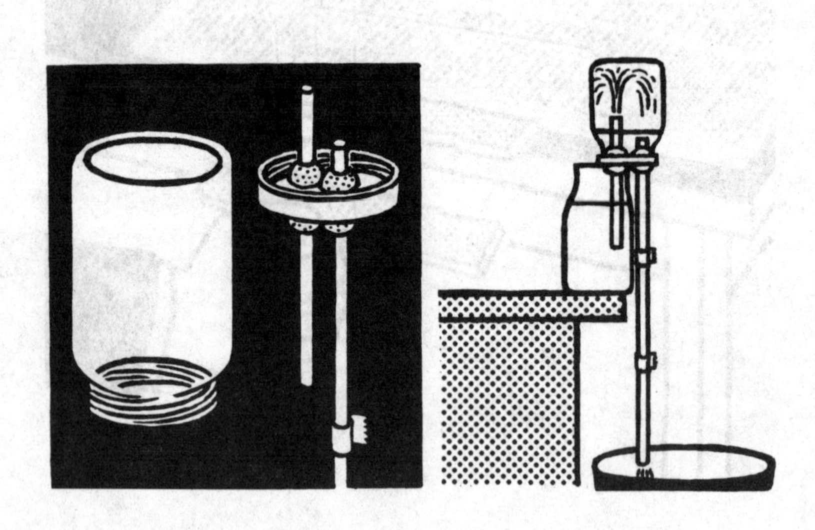

Practica dos orificios grandes en la tapa de un bote de mermelada e inserta una pajita de refresco en uno de ellos, hasta 5 cm de su longitud. Pega otras tres pajitas con cinta adhesiva por los extremos e insértalas en el otro orificio. Sella los orificios con plastilina. Vierte un poco de agua en el bote, enrosca la tapa, vuélvela del revés y sumerge la pajita corta en una botella llena de agua. Observarás un surtidor de agua en el bote hasta que la botella esté vacía.

El agua escapa a través del tubo largo, reduciendo la presión del aire en el interior del bote. Dado que la presión exterior del aire es más elevada, el aire intenta penetrar y empuja el agua desde la botella hasta el bote a través de la pajita corta.

59. Barómetro de agua

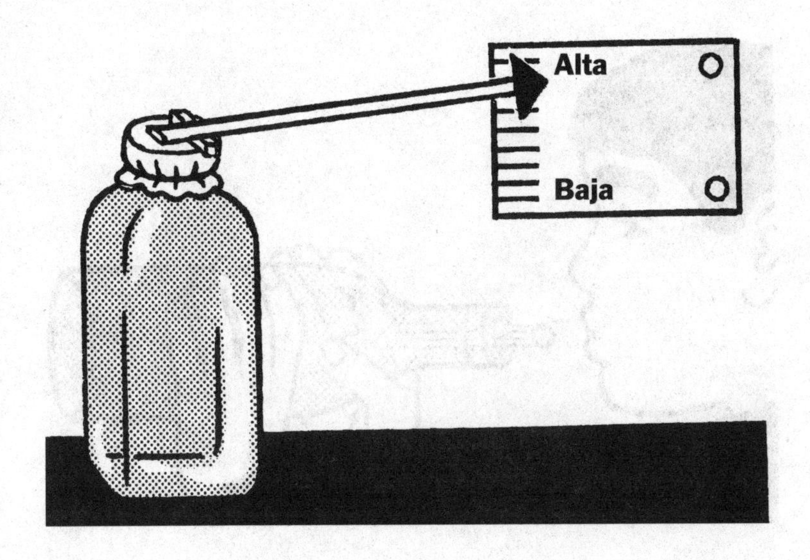

Ajusta un trozo de globo en la boca de una botella de leche o de zumo, pega una pajita de refresco en el centro de la boca y coloca una cerilla entre la pajita y el borde de la botella. Dado que la presión del aire varía de un día para otro según las condiciones meteorológicas, el extremo opuesto de la pajita se moverá hacia arriba y hacia abajo.

La presión del aire es mayor cuando hace buen tiempo, presiona hacia dentro el trozo de globo, y el extremo de la pajita sube. Y cuando la presión del aire desciende (días nublados o lluvia inminente), la presión en el globo también se reduce, y la pajita baja. Dado que el aire en el interior de la botella se expande al calentarlo, deberías colocar el barómetro en un lugar en el que la temperatura ambiente fuera constante.

60. Retroceso

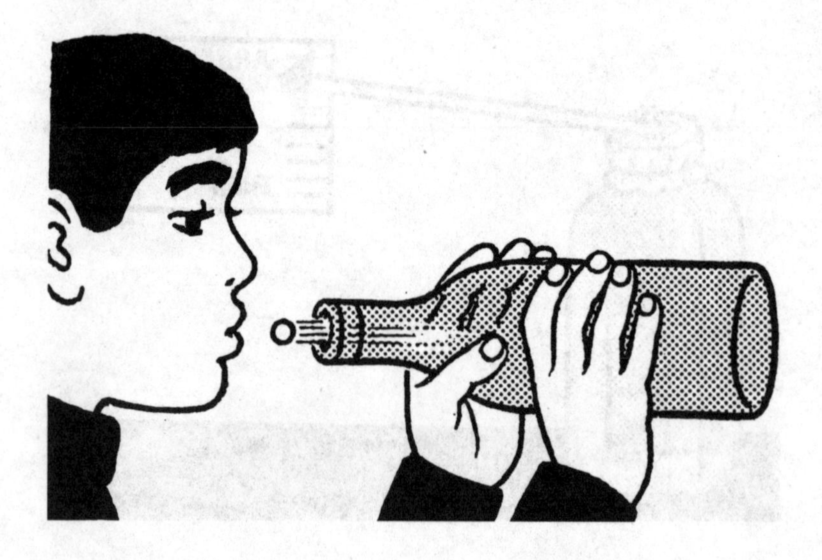

Sostén una botella vacía en posición horizontal y coloca una bolita de papel en el cuello de la botella. Intenta soplar la bolita para que penetre en la botella. ¡Imposible! En lugar de entrar, sale.

Al soplar, la presión del aire en la botella aumenta, al tiempo que se produce un vacío parcial en el cuello de la misma. Cuando las presiones se igualan, la bolita sale disparada, como si de la bala de una pistola se tratara.

61. Truco al soplar

Pon un naipe sobre una copa, de manera que el borde del naipe deje sólo un pequeño hueco de la copa. Coloca una moneda grande sobre el naipe. Se trata de introducir la moneda en la copa sin usar las manos. Quien no conozca el truco, soplará la moneda hacia el hueco desde el lado. ¡En vano! El experimento sólo funciona si soplas una sola vez, rápidamente, en el hueco de la copa. El aire está atrapado y comprimido en el interior. Al aumentar la presión, el naipe se desplaza y la moneda se precipita en la copa.

62. Cohete de aire comprimido

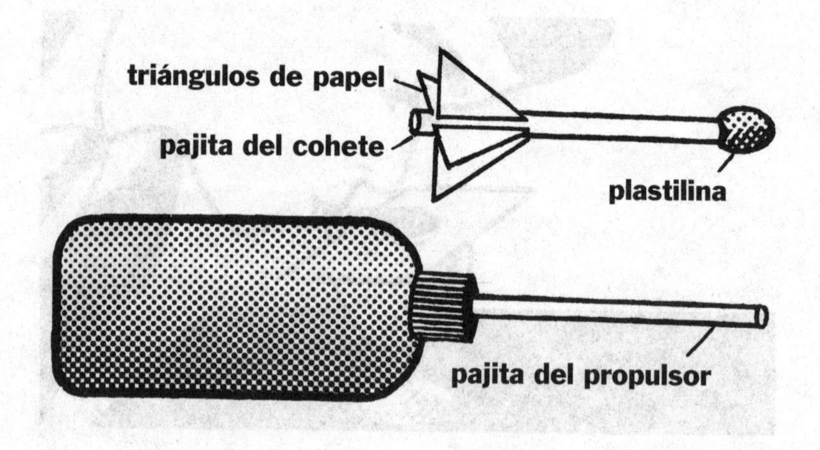

Practica un orificio en un tapón de plástico, introduce una pajita de refresco y sella el orificio con pegamento. Ésta será la rampa de lanzamiento. Construye el cohete con una pajita de 10 cm de longitud, ligeramente más ancha para que se deslice suavemente sobre la pajita que has insertado en el tapón. Decóralo con triángulos de papel de colores en la unidad de cola, en uno de los extremos de la pajita, y en el otro pon una bolita de plastilina. Ahora introduce el tubito de plástico en el cohete hasta que la punta se adhiera ligeramente en la plastilina. Si presionas con fuerza la botella, el proyectil volará a una distancia de 10 m o más.

Al presionar la botella de plástico, el aire que hay en su interior se comprime. Cuando la presión es lo bastante elevada, la pajita se separa de la bolita de plastilina y el aire se expande, propulsando el cohete.

63. Aire comprimido en un túnel

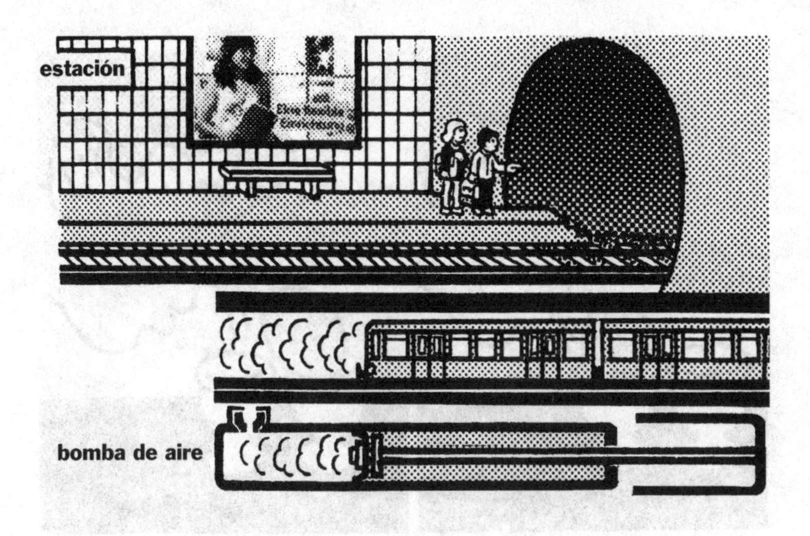

Cualquiera que esté esperando la llegada del metro cerca de la salida del túnel sabrá cuándo está llegando incluso antes de divisar la luz de los faros. ¿Cómo es posible?

Durante su trayecto a través del túnel, se acumula una masa de aire en la parte delantera del vagón de cabeza. Tan pronto como parte de la estación, en la siguiente se puede percibir una ligera corriente de aire. Humedece un poco un dedo para apreciarlo mejor. (La corriente acelera la evaporación del agua en el dedo, que se enfría.) Al aproximarse el tren, se crea lentamente un poderoso flujo de aire. El morro plano del vagón de cabeza, que presiona el aire a través del estrecho túnel, es similar al pistón de una bomba de inflado de una bicicleta.

64. Soplar un huevo

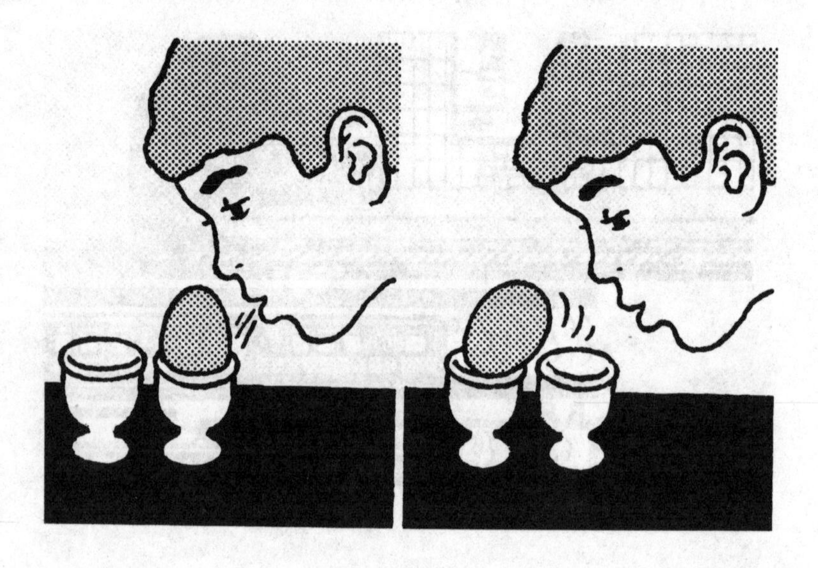

Pon dos hueveras una frente a la otra, y coloca un huevo en la que tienes más cerca. Sopla con fuerza en el borde de la huevera que contiene el huevo. Se elevará, girará y caerá en la huevera vacía. La cáscara del huevo es rugosa y no se ajusta perfectamente al borde liso de la huevera. Al soplar, el aire penetra a través de los poros en el espacio situado debajo del huevo, donde se comprime, y cuando la presión del cojín de aire es lo bastante elevada, el huevo se eleva.

65. Corrientes de aire

Ponte de pie junto al tronco de un árbol en un día ventoso. Verás que no te protege en lo más mínimo del viento. Si enciendes una cerilla, se apagará. Un sencillo experimento en casa lo confirmará. Pon una vela encendida detrás de una botella y sopla con fuerza desde el otro lado de la misma. La llama se extinguirá de inmediato.

La corriente de aire se divide al impactar en la botella, se pega a los lados y vuelve a unirse detrás, formando un torbellino que incide en la llama con casi la misma fuerza que si hubieras soplado directamente en ella. Pruébalo ahora con dos botellas.

66. Bernouilli tenía razón

Coloca una postal o cartulina doblada longitudinalmente sobre una mesa. Te parecerá fácil darle la vuelta si soplas debajo de ella. ¡Inténtalo! Por muy fuerte que soples, la cartulina no se elevará de la mesa, sino que por el contrario, se adherirá más a la superficie.

Daniel Bernouilli, un científico suizo del siglo XVIII, descubrió que la presión de un gas es menor cuando se mueve deprisa a mayor velocidad. La corriente de aire produce una presión menor debajo de la cartulina, y la presión normal del aire la empuja firmemente hacia la mesa.

67. Moneda a prueba de viento

Clava tres alfileres en un taco de madera y coloca una moneda encima, formando una mesita de tres patas. Y ahora... ¡la gran apuesta! Quien no conozca el experimento no será capaz de hacer caer la moneda del trípode soplando.

El borde de la moneda es demasiado estrecho como para que el aire que impacta en ella pueda desplazarla. El aire pasa por debajo de la moneda y reduce la presión debajo de ella, adhiriéndola más firmemente a los alfileres. Pero si te colocas al nivel de la moneda y soplas proyectando hacia fuera el labio inferior, el aire incidirá directamente en la cara inferior de la moneda y caerá.

68. Bola atrapada

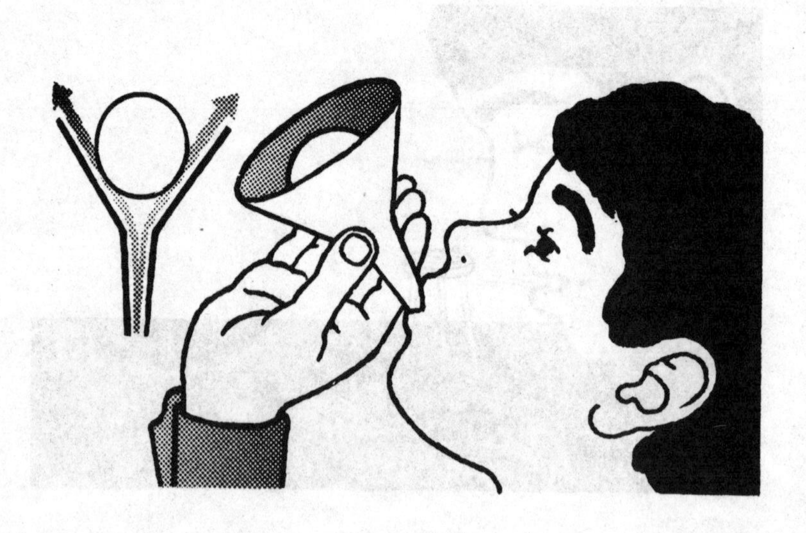

Pon una pelota de tenis en un embudo, sostenlo con la boca ancha inclinada hacia arriba y sopla con todas tus fuerzas por el extremo estrecho. ¡Increíble! La pelota ni tan siquiera se mueve.

Como se podría pensar, la corriente de aire no golpea la pelota con toda su fuerza, sino que se separa y fluye alrededor de ella mientras descansa en el embudo. Según la Ley de Bernouilli, en estos puntos la presión del aire desciende, y la presión exterior del aire empuja la bola hacia la boca del embudo.

69. Postal flotante

Muchos experimentos de física parecen mágicos, pero siempre hay leyes lógicas que los explican. Clava una tachuela en el centro de una cartulina de dimensiones equivalentes a media postal. Coloca encima un carrete de hilo de tal modo que la tachuela esté situada en el orificio. Sopla con fuerza por el extremo superior del carrete. Lo lógico sería pensar que la cartulina caerá al suelo, pero en realidad, se mantiene adherida a la parte inferior del carrete.

Este asombroso resultado se explica mediante la Ley de Bernouilli. La corriente de aire pasa a gran velocidad entre la cartulina y el carrete, produciendo una presión menor, al tiempo que la presión del aire normal empuja la cartulina hacia arriba, contra el carrete. Los aviones vuelan de una forma similar. El aire fluye sobre la superficie arqueada de las alas a mayor velocidad que sobre la superficie plana, en consecuencia, la presión del aire encima de las alas se reduce, elevándolas.

70. Moneda voladora

Pon una moneda a 10 cm del borde de una mesa y coloca un platito 20 cm más allá. ¿Cómo podrías hacer saltar la moneda hasta el plato?

Si soplas de frente en dirección a la moneda, nunca lo conseguirás. La noción de que el aire pasará por debajo de la moneda a causa de la irregularidad de la mesa y la elevará es falsa. Sólo volará hasta el platito si soplas con fuerza una sola vez a 5 cm de la moneda y horizontalmente sobre ella. La presión del aire sobre la moneda disminuye, y el aire que la rodea, que está a presión normal, fluye hasta ella desde todas las direcciones, elevándola. Penetra en la corriente y vuela hasta el plato.

71. Viaje por el aire

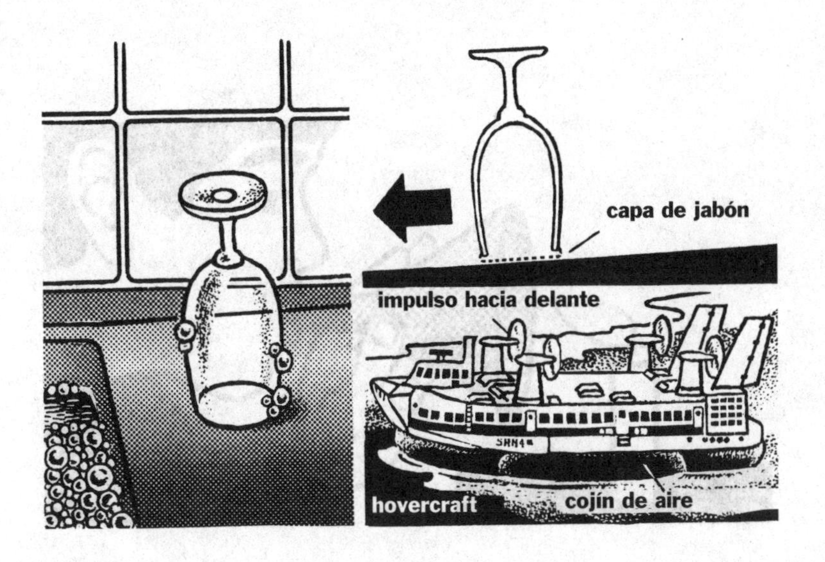

Si lavas un vaso en agua caliente y, sin haber enjuagado el jabón, lo dejas en una superficie lisa, húmeda y ligeramente inclinada, se desliza lentamente por la pendiente como si estuviera flotando. ¿Cómo podrías explicarlo?

El aire atrapado en el vaso se calienta y tiende a expandirse, pero al no poder escapar por debajo del borde a causa de la fina capa jabonosa del detergente, la presión del aire en el vaso aumenta, lo eleva y deja que se deslice prácticamente sin fricción.

Los hovercrafts que cruzan a diario el Canal de la Mancha se desplazan sobre un cojín de aire similar. Unos poderosos propulsores, encarados hacia abajo, incrementan la presión del aire en unos inflables flexibles que elevan el hovercraft, avanzando sin tocar la tierra o el agua. El impulso hacia delante lo generan otros propulsores instalados en la cubierta.

72. Embudo de viento

Enciende una vela e intenta apagarla soplando con fuerza a través de un embudo situado a escasos centímetros de la llama. No lo conseguirás. En realidad, ocurrirá todo lo contrario: se inclinará hacia el embudo.

Cuando soplas por el embudo, la presión del aire interior disminuye y el aire exterior penetra en el espacio a través de la abertura, deslizándose por las paredes del embudo. Encara el borde del embudo a nivel de la llama, sopla y ésta se apagará. Lógicamente, si soplas la vela con el embudo invertido, el aire se comprimirá en la abertura estrecha y extinguirá la llama de inmediato.

73. Explosión en una botella

Echa un pedazo de papel ardiendo en una botella de leche o de zumo vacía y ajusta firmemente un trozo de globo en la boca. A los pocos segundos, el globo será succionado hacia el interior y la llama se extinguirá.

Durante la combustión, el aire se calienta y se expande, empujando una parte del mismo fuera de la botella. Cuando la llama se extingue, el aire que queda en la botella se enfría y se contrae, comprimido por la presión exterior del aire. El globo se tensa tanto, que la presión sólo se igualará si lo pinchas con un alfiler, provocando un sonoro estallido.

74. Vasos gemelos

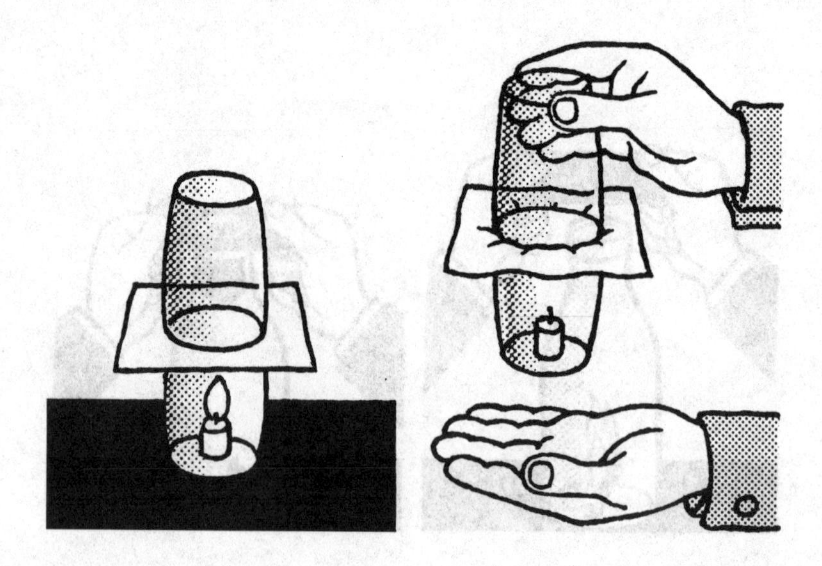

Introduce una vela en un vaso y enciéndela, tápalo con una hoja de papel secante humedecido y coloca otro vaso invertido, y del mismo tamaño, sobre el primero. Transcurridos algunos segundos, la llama se extinguirá y los vasos quedarán perfectamente adheridos.

Durante la combustión, el oxígeno contenido en los vasos se consume (el papel secante es permeable al aire). En consecuencia, la presión interior disminuye y la presión exterior succiona los dos vasos entre sí, quedando adheridos.

75. ¿Cómo sacarás la moneda?

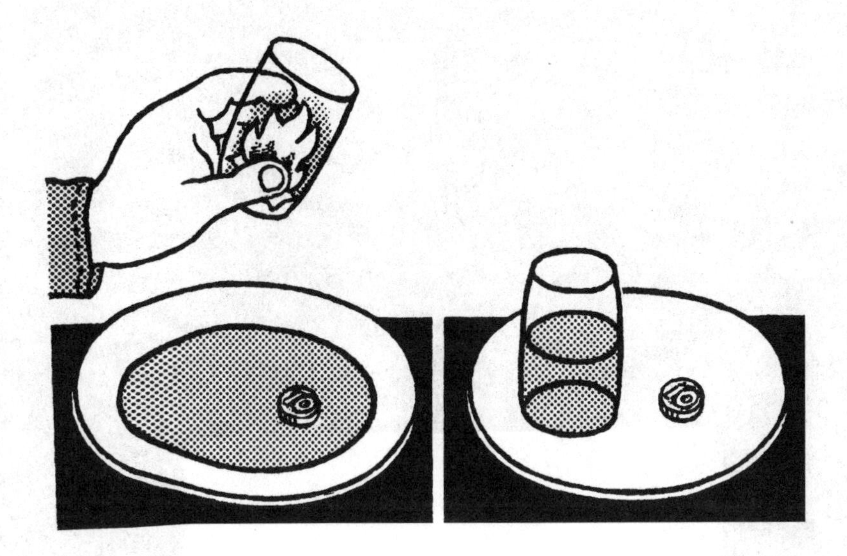

Pon una moneda en un plato de agua. ¿Cómo podrías sacarla sin meter la mano en el agua o verter el agua del plato? Introduce un pedazo de papel ardiendo en un vaso y colócalo en el plato, vuelto del revés, cerca de la moneda. El agua sube por el vaso y deja la moneda al descubierto.

Durante la combustión, el carbono contenido en el papel, junto a otras sustancias, se combina con el oxígeno del aire y forma dióxido de carbono. La presión del gas en el vaso disminuye a causa de la expansión de los gases al calentarse y de la contracción al enfriarse. La presión exterior del aire empuja el agua hacia el interior del vaso.